For Jason, my forever friend
~CF
For Anna, with all my love
~BC

Text Copyright © 2007 by Claire Freedman
Illustration Copyright © 2007 by Ben Cort
Published by arrangement with Simon & Schuster UK Ltd
1st Floor, 222 Gray's Inn Road, London, WC1X 8HB
A CBS Company

Dual language text copyright © 2011 Mantra Lingua
Audio copyright © 2011 Mantra Lingua
This edition 2011 All rights reserved
A CIP record for this book is available from the British Library
Mantra Lingua, Global House, 303 Ballards Lane, London, N12 8NP

www.mantralingua.com

Hear each page of this talking book narrated in many languages
with TalkingPEN! Then record your own versions.

Touch the arrow below with the TalkingPEN to start

Start   Info   English   Language

Инопланетяне обожают трусы
Aliens Love Underpants

Claire Freedman & Ben Cort

Russian translation by Dr Lydia Buravova

Mantra Lingua

Существа с других планет...
Это правда или нет?
На удивленье нам – привязаны к трусам!
К маленьким, большим, к белым и цветным...

Aliens love underpants,
Of every shape and size.
But there are no underpants in space,
So here's a big surprise...

Что им нужно на Земле, не понять ни вам, ни мне!
Приземлившись на планету, путешествуя по свету,
Они спешат, увы, не к ВАМ – а ко всякого рода трусам

When aliens fly down to Earth, they don't come to meet YOU...
They simply want your underpants – I'll bet you never knew!

На что нацелен их радар?
Что ищет их прибор?
Ага, в саду висит белье!
Корабль спешит в ваш двор.

Their spaceship's radar bleeps and blinks the moment that it sees
A washing line of underpants all flapping in the breeze.

Забавам их предела нет!
Таких проказ не видел свет...
Веселый гимн «Хвала ТРУСАМ!»
несется к самым небесам.

They land in your back garden, though they haven't been invited.
"Oooooh, UNDERPANTS!" they chant, and dance around, delighted.

Обожают алые, зеленые как арбуз,
Особенно в восторге от бабкиных рейтуз!

They like them red, they like them green, or orange like satsumas.
But best of all they love the sight of Granny's spotted bloomers.

Сидят у мамы в трусиках, в розовой оборке,
У дедушки в кальсонах катаются как с горки.

Mum's pink frilly knickers are a perfect place to hide
And Grandpa's woolly longjohns make a super-whizzy slide.

In daring competitions, held up by just one peg,
They count how many aliens can squeeze inside each leg.

Все вместе в штанине висят на веревке,
Нам не понять их опасной трусовки!

Натягивают весело на головы трусы,
на руки и ноги, и даже на носы!
Корабль парит под небесами с надутыми трусами-парусами!

They wear pants on their feet and heads and other silly places.
They fly pants from their spaceships and hold Upside-Down-Pant Races!

Фантастично-эластично
пружинится резинка.
Кто же этот хулиган?
Воришка-невидимка?

As they go zinging through the air,
it really is pants-tastic.
What fun the aliens can have
with pingy pants elastic!

Соседский пес попал к нам в сад?
Мы знаем, кто здесь виноват!
ГОСТЬ ИЗ КОСМОСА к нам заглянул и
веревку с трусами стянул!

It's not your neighbour's naughty dog, or next-door's funny game.
When underpants go missing, the ALIENS are to blame!

But quick! Mum's coming out to fetch the washing in at last.
Wheee! Off the aliens all zoom, they're used to leaving fast...

Но как только снимаем с верёвки штанишки,
Разлетаются в спешке дурашки-воришки!

Ну, а теперь, ребята, без шуток!
Без глупостей всяких и прибауток!
Если белье хотите менять – надо сначала трусы проверять,
Есть там кто-то или нет?
На случай гостей с неизвестных планет!

So when you put your pants on, freshly washed and nice and clean,
Just check in case an alien still lurks inside, unseen!